무력한 구조들의 도해 II

[사네(Sanne)]

그 여자의 장례식이
상크트요하네스에서 열린다 그 남자의 장례식이 있은 지 9년

그 금괴 밀수범
그녀가 코펜하겐에서 사랑에 빠진 그는 그녀의 추도문에 나오는 그대로지

얼굴을 붉혔는가 아니
나는 그녀가 얼굴을 붉히는 걸 본 적이 없다

지붕 없는 보트
돌진하는 비 우리는 항구를 한 바퀴 돌아보고 그녀는 태연히 앉아 담배를
피운다

우리는 처음
전화로 만났다 당신은 나를 모르겠지만 그녀가 말했다 당신 오빠가 방금 내
욕실에서 죽었어요

분명 그들은
17년 동안 부부로 살았다

뭐죠 저
소리 개예요 오 개를 키우는군요 네 우리는 개를 키워요 아니요 '내'가 개를
키워요

그녀가 이야기하는
그의 완고함 두려움 크리스마스 만찬들 멍청한 개 미친 장모에게 보여주는 친절
그리고 옛날이야기에 대한 거부 돈이 좀 생기면 깎겠다던 그의 수염 그는
절대 깎지 않았지

영어의 관용구들을
그녀는 보통 쓰지 않는다 그는 내 삶의 빛이었지가 그녀가 쓰는 한 가지

그녀는 전화한다
울면서 눈물이 전화기를 채운다

그이
그녀가 말했다 그녀는 바텐더였고 그가 성큼성큼 걸어 들어왔다 그이 나
결혼하고 싶어

나는 치웠다
그를, 그녀의 생략된 구문들을, 달리 누가 장애물들 틈에서, 달리 누가 그 일을
하겠는가

눈물이
전화기를 채우고 나는 비운다

우리는 걷는다
운하를 따라 백조들이 한 다리는 접어 넣고 한 다리는 끌면서 물을 따라
흘러가고

그녀는
구급차를 타고 병원으로 갔고 거기서 시신을 닦겠다고 고집했다 달리 누가 그
일을 하겠어요 그녀가 말했다

동사상(狀) 형용사[1]는
의무를 표현하는 동사의 한 형태 필연은 세 계단 위 내려가는 계단은 없다

그 여자가 죽었다
2010년 4월에 알코올과 형언할 수 없는 간절함 때문에

사람들은 대체로
죽음 앞에서 얼굴을 붉힌다

그녀는 그냥
내린다

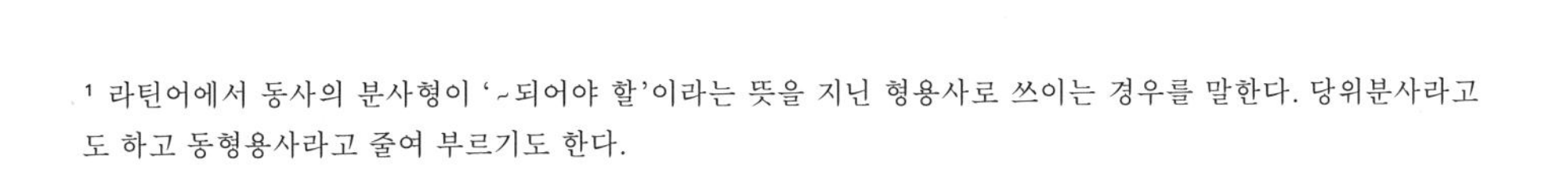
[1] 라틴어에서 동사의 분사형이 '~되어야 할'이라는 뜻을 지닌 형용사로 쓰이는 경우를 말한다. 당위분사라고도 하고 동형용사라고 줄여 부르기도 한다.

ISBN 979-11-92884-10-3